par Charles-Emmanuel Borjon de Scellery

même édition que celle de Lyon 1672, avec un titre réimprimé.

V 638
A

TRAITÉ
DE LA
MUSETTE.
AVEC UNE NOVVELLE
METHODE,

*Pour apprendre de foy-même à joüer de cet Instru-
ment facilement, & en peu de temps.*

A PARIS,

Chez **LOUIS VENDOSME**, Pere, Court du Palais, à la petite
Porte qui regarde les Augustins, au Sacrifice d'Abraham.

M. DC. LXXVIII.

AVEC PRIVILEGE DV ROY.

AVERTISSEMENT.

DE tous ceux qui jusques icy ont écrit de la Musique & de ses Instru-mens, aucun, que ie sçache, n'a parlé de celuy que dans ce Royaume nous appellons Musette. Le seul Pere Mercenne dans son harmonie vni-verselle en a dit quelque chose en general, mais qui pour estre vn peu trop speculatif, est toutafait inutile à ceux qui s'instruisent plus par l'vsage, que par le raisonnement. C'est ce qui m'a obligé de donner ce Traité au public, pour suppléer en quelque façon à ce que tant d'habiles gens ont negligé, ou parce qu'ils ne se sont pas voulu don-ner la peine de le connoître, ou parce qu'ils l'ont estimé indigne de leurs soins. Ie ne m'y suis point tant appliqué à ce qui est du fond de la science, qu'à ce qui regarde la pratique. Mon dessein n'est pas d'enseigner à parler, mais à iouer de la Musette. Ce que i'ay fait avec d'au-tant plus d'empressement, qu'ayant remarqué que le nom-bre des Maîtres capables de montrer à tirer avec art l'harmonie de cet agreable Instrument, ne répondoit pas à celuy des personnes qui l'aiment, & qui souhaitent avec passion de s'y perfectionner, il pourroit arriver que ceux

Avertiſſement.

de qui l'on reçoit auiourd'huy toutes les lumieres, qui peuvent faire vn ſçavant ioüeur de Muſette, ne laiſſant pas de ſucceſſeurs aſſez habiles, elle couroit riſque d'eſtre entierement ſupprimée du commerce des curieux, & de n'étre pas plus connüe dans le monde, que ſi iamais on n'y en eût parlé.

Je pretends donc former icy, pour ainſi parler, vn maître ſubſiſtant, qui tienne lieu en tout temps de tous les autres maîtres, & qui garantiſſe les preceptes de cet art innocent des outrages de la negligence, & de l'oubly où le temps & la pareſſe pouroient l'enſevelir.

Les commençans y trouveront des regles & des avis extremement neceſſaires pour arriver bientoſt à la perfeſtion du ieu de cet Inſtrument, & pour s'inſtruire en particulier & faire quelques progrez par eux-mêmes dans l'abſence de ceux de qui ils reçoivent des leçons. Les maîtres mêmes ſeront ſoulagez par cet ouvrage; car i'ay pris le ſoin avec vne exactitude toute particuliere d'y marquer pluſieurs pieces en tablature de nombres d'vn côté & de muſique de l'autre. J'ay de plus receüilly avec choix pluſieurs branles & gavottes de village, qui ſont faits exprez ſur l'étendüe du Chalumeau, & qui, à proprement parler, ſont les airs les plus naturels à cet Inſtrument. I'y ay ioint ſouvent les doubles & les diminutions hors aux airs languiſſants, dont la beauté ne conſiſte que dans vne douceur ſans artifice, & vne certaine ſimplicité, dont les effets ſe reſſentent mieux qu'ils ne ſe décrivent. I'y ay aiouté des chanſons avec leurs paroles ; c'eſt à dire de petits airs galans, qui avec la prononciation vn peu methodique de la lettre ſemblent faire parler la Muſette.

Enfin pour l'achevement de ce Traité j'y ay inſeré vne explication claire & naïfve du petit Chalumeau de Monſieur Hauteterre avec ſa figure. I'ay crû d'abord

qu'il

qu'il ſeroit inutile d'en parler, parce qu'il ne me paroit
pas aſſez naturel , ny aſſez propre pour marquer les
veritables airs de la Muſette, quand elle eſt joüée toute
ſeule. Et quoyque je ſçache bien que par cette invention
l'étenduë de cet Inſtrument eſt devenuë beaucoup plus
grande & plus parfaite , toute ſorte d'airs pouvant
maintenant s'y joüer , au lieu que le ſeul Chalumeau eſt
toutafait limité ; & que je n'ignore pas que dans les
concerts auſſi bien que dans les preludes, il ne ſoit d'vn
grand ſecours pour ſoûtenir & pour tout exprimer. Il
faut pourtant demeurer d'accord que les tons du Chalumeau ordinaire ſont articulez autant nettement qu'il ſe
peut; & que ceux du petit Chalumeau ne ſont qu'aſpirez;
c'eſt à dire que le premier fait Ta, Ta, Ta, & le dernier
Ha, Ha, Ha. Mais pour ſatisfaire à ceux qui veulent
tout ſcavoir, i'en ay parlé aſſez amplement pour dire que
ie n'ay rien oublié ; quoyque mon principal but ne ſoit pas
d'écrire pour ceux qui ſont conſommez dans l'art de bien
ioüer, mais ſeulement pour les perſonnes qui pretendent d'y
arriver, & en faveur deſquels ie me ſuis appliqué à ramaſſer
dans ce Traité tout ce qui peut leur eſtre propre.

J'aurois pu le groſſir d'vn grand nombre de re-
marques tres-curieuſes que i'ay faites dans les anciens autheurs touchant les divers Inſtrumens de muſique; mais cette parure m'a ſemblé peu convenir à vne muſe toute champeſtre, qui n'aime que la naïfveté, & qui ne plait qu'autant
qu'elle eſt ſimple & éloignée de tout artifice ; & de plus i'au-
ray peut-eſtre occaſion de traiter ce ſuiet plus particulierement dans vn autre ouvrage, dont celuy-cy n'eſt qu'vne
groſſiere ébauche.

Il me ſuffit ſeulement de declarer que ie ne ſuis autheur
& Muſicien que pour mon ſeul plaiſir; & que ie ne pretends
icy que temoigner la reconnoiſſance que ie dois aux inſtru-

ã 3   mens

Avertissement.

mèns de Musique, qui depuis plusieurs années me rendent de
si bons offices, en publiant ce que ma propre experience m'a
fait connoistre de leur excellence & de leur utilité.

TABLE

Des Chapitres contenus dans le Traité de la Musette.

S'ENSVIT

S'ENSVIT LE LIVRE DE TABLATVRE,

dans lequel on trouvera des pieces propres à la Musette, comme Branles de village, Gavottes, Plaintes, Airs à chanter avec les paroles, &c. Le tout marqué d'vn côté en tablature de nombres, & de l'autre en tablature de Musique.

J. Blanchet in
N. Aurouz fec.

TRAITE' DE LA MVSETTE.

PREMIERE PARTIE.

CHAPITRE PREMIER.

*De l'origine, de l'ethymologie, & de l'eſtime que l'on a
fait autrefois de la Flûte & de la Muſette.*

I l'antiquité eſt vn tître du merite
des choſes, la Muſette doit l'em-
porter par deſſus tous les autres Inſtrumens de la Muſique, comme
eſtant le premier & le plus ancien
de tous ; Car à raiſonner ſur cet Ar-
ticle ſelon les lumieres du bon ſens,
& nullement ſelon les idées des Poëtes, qui ont tellement enveloppé toutes choſes de menſonges & de fi-
ctions, que nous ne ſçavons preſque rien aſſeurément
de ce qui s'eſt paſſé dans les premiers ſiecles du monde, que l'on appelle auſſi pour cette raiſon les temps
fabuleux, n'y a-t'il pas bien de l'apparance que les premiers hommes, qui ont fait toute leur occupation, &
leurs plus cheres delices de la vie champeſtre ont eſté

les premiers inventeurs de la Musette & du Chalumeau ? L'Escriture sainte nous le marque tres-expres-
fément dans la Genese, où après avoir parlé d'Abel,
qui fuit pastor ouium, & fait vne espece d'énumeration
de la posterité de Caïn, quand elle est arrivée au rang
de Iabel fils d'Ada, elle dit qu'il estoit, *Pater habi-*
tantium in tentoriis, atque pastorum ; & ajoute qu'il
avoit vn frere nommé Iubal, *qui fuit pater canentium*
cythara & organo ; c'est à dire que celuy-là a inventé la
maniere de faire des tentes & des pavillons pour mettre à couvert des injures du temps les Bergers avec
leurs troupeaux, & que celuy-cy a donné le premier
à ces mêmes Bergers, c'est à dire à tous les hommes,
qui vivoient en ce temps-là, quelque methode pour
regler les tons de leurs voix, & pour radoucir le son
de leurs chalumeaux. Car avant luy quelque Berger
plus speculatif que les autres, avoit sans doute remarqué que le vent entrant dans le tronc de quelque arbre
percé, ou agitant ses feüilles disposées d'vne certaine
maniere, formoit vn son harmonieux, s'avisa de le
vouloir imiter, il couppa quelques petits tuyaux de
paille, avec lesquels il fit ses premiers essays, qui luy
reüffissant à son gré, il se servit ensuite de cannes, de
joncs, & de tout ce qu'il se pût imaginer, pour venir
à bout de son dessein. Mais ces flûtes grossieres,
μονοχάλαμοι, devenant ennuyantes par l'vniformité
de leur ton, Iubal plus delicat que son ayeul s'apper-
ceut que plus ou moins gros estoient ces chalumeaux,
plus ou moins le son qu'ils rendoient avoit de force
& de douceur. Il en fit de plusieurs tailles, qu'il cola
les vns aux autres tous de suite, & toûjours en dimi-
nuant, & souflant sur tous presqu'en même temps, il
tiroit de chacun vn son proportionné à sa grosseur, qui
produisoit vne maniere de concert assez bien imagi-
née pour ce temps-là, qu'Apulée nomme ;

Les autheurs prophanes n'ont point reconnu Iubal pour l'inventeur de cet Instrument πολυκάλαμε;les vns l'ont attribué à Pan , comme Virgile :

Pan primus calamos cera coniungere plures   Ecl. 2.
Instituit :

Les autres à Mercure , à Faune,à Marsyas,& à Daph- Isidore l. 3.
nis jeune Berger Sicilien , qui le premier fit des Pasto- Orig.c. 10.
rales , & chanta de ces vers qu'on appelle Bucoliques,
selon le témoignage de Diodore Sicilien. Mais il est l.4. Bibl.
plus vray-semblable que ce Iubal en est le premier
autheur. Le mot d'*organum* , dont se sert l'Escriture,est
pris generalement pour toute sorte d'Instrumens de
Musique à vent, comme on le pourroit prouver par
l'authorité de Quintilien & de Iuvenal.

Voila quelle a esté la premiere origine de la Musette , que Martial n'ignoroit pas, ainsi qu'on le peut juger par cet Epigramme :

     63.l.14.

Quid me compactum ceris & arundine rides?
    Quæ primùm extructa est fistula talis erat.

Cette sorte de Musette n'estoit déja plus en vsage de
son temps , & l'on se mocquoit de ceux qui la vou-
loient remettre sur pied. C'est pourquoy Ovide a dit
fort adroitement qu'autrefois, *quondam*, elle avoit eu
cette figure. C'est dans le 8. Livre de ses Metamor-
phoses, où il compare agreablement les plumes des
ailes de Dedale à ces chalumeaux ainsi colez ou liez.

Nam ponit ordine pennas
A minima cœptas , longam breuiore sequente,
Vt cliuo creuisse putes. Sic rustica quondam
       A 2   *Fistula*

Fistula disparibus paulatim surgit auenis :
Tum lino medias & ceris alligat oras.

Or ces Musettes ainsi formées estoient composées
de plusieurs chalumeaux ; les vnes en ont eu sept.

Virg. Ec-
log. 2.

Est mihi disparibus septem compacta cicutis
Fistula.

8.Ecl. Les autres neuf ; d'où vient que Theocrite l'appelle
souvent ἐννεάφονον , *ayant neuf voix.* Et Ovide ne
l.13.Meta. craint point d'en donner cent à celle qu'il met entre
les mains de son Polypheme :

Sumptaque arundinibus compacta est fistula centum.

Il arriva par la suite que ce nombre de chalumeaux
devenant trop incommode , ou à joüer , ou à porter,
ou à conserver,on fit avec vn seul,que l'on perça en dif-
feréts endroits,ce que l'on faisoit auparavant avec tous
les autres,n'ayāt qu'vn trou chacun. πολυτρῆτος κάλαμος,
multiforatilis arundo. Pausanias en fait autheur Prono-
mus de Thebes. *Hic ,* dit-il , *cùm diuersa essent ob di-*
In Bœt. *uersa modorum genera tibia,non iisdem omnino Dorÿ,Li-*
dÿ & Phrygÿ modis incinerent, primus eiusmodi tibias ex-
*cogitauit,quæ inflatæ modos omnes eadem redderent.*Athenée dit la même chose. D'abord on y fit fort peu de
trous.
l. 14. c. 7.
    Prima terebrato per rara foramina buxo,
       Vt daret effeci tibia longa sonos.
dit Pallas chez Ovid. Et Horace:
    Tibia non vt nunc , orichalco vincta , tubæque
       Æmula , sed tenuis, simplexque foramine pauco
l.6. Fast.
de arte
pœt.v.203   *Aspirare , & adesse choris erat vtilis.*
Les premiers n'en eurent qu'vn , comme nos Trom-
pettes

pettes d'aprefent. Apres on y en ajoûta vn autre , *bi-forem dat tibia cantum.* Enfuite on y en fit trois pour exprimer les trois fortes de tons, le grave, l'aigu, & celuy qui participe de l'vn & de l'autre, qu'on appelle circonflexe. On en fit encor vn quatriéme , comme Acron fur la poëtique d'Horace Ie remarque aprés Varron. A ces quatre on en a ajoûté encore plufieurs autres jufques à ce qu'on l'ait mis dans la perfeétion où il eft maintenant. Mais comme il falloit foufler pour joüer de cet Inftrument , & que cette fatigue eftoit accompagnée d'vne tres-mauvaife grace, afin de le rendre autant commode qu'agreable, on a trouvé le fecret dépuis 40. ou 50. années, d'y ajoûter vn fouflet, que l'on a emprunté des orgues, par le moyen duquel on le remplit d'autant d'air que l'on veut, fans prendre d'autre peine que celle de lever doucement, ou d'abbaiffer le bras qui le conduit.

On l'a encor embelie d'vn bourdon dont les accords forment vne efpece d'orgues, qui foûtient le chant du chalumeau, & remplit d'avantage l'oreille de ceux qui l'écoutent. Voila donc quelle eft la naiffance & le progrez de la Mufette, qui d'vn petit chalumeau de paille eft devenu l'vn des plus charmans & des plus doux inftrumens de la Mufique.

Quant à fon nom, l'ethymologie m'en paroît fort naturelle. Nous l'avons ainfi appellée ou par rapport aux Mufes que les Poëtes ont feint prefider à la Mufique, ou parce que ce mot de Mufe fignifie dans le langage commun des Poëtes le chant, & toutes fortes d'airs qui fe peuvent chanter. Virg.

Siluestrem tenui mufam meditaris auena.   Ecl. 1.
Agreftem tenui meditabor arundine mufam.   Ecl.6.
  Paftorum mufam Damonis, & Alphofibœi.   Ecl.8.
Iocofa mufa, dit Ovide, *folers lyra mufa*, hor. de art.   3. Trift. eleg.2.

A 3   C'eft

C'est pourquoy on a nommé Musique la science de bien chanter , & Musiciens les habiles en
cette science. Mais comme cet Instrument n'est pas
assez serieux pour exprimer les grands airs , on luy a
donné le nom de Musette, pour mieux representer le
caractere de ses agrémens ; les diminutifs ayant cela
de propre qu'ils radoucissent ce qu'ils semblent
amoindrir , & qu'ils marquent plus de delicatesse que
les noms pleins & entiers. Et parce que ses charmes ne
sont dans leur veritable jour qu'à la campagne , & que
les Bergers en ont esté les premiers inventeurs , les
Poëtes l'ont appellé Muse champestre , Muse sauvage,
Muse de Berger , *Musam syluestrem , agrestem , pastorum.* On luy a aussi donné le nom de *Fistula. Fistula
rustica* , dit Horace ; & Ciceron , *Fistula pastoricia,* &
celuy de *Tibia* , parce qu'autrefois on le faisoit de
l'os de la jambe d'vne grüe.

　　Les Hebreux, les Grecs, les Romains, ou pour mieux
dire toutes les nations du monde ont eu tant de dif-
ferentes sortes de chalumeaux , flûtes ou musettes, ainsi que nous le ferons voir en vn autre endroit, que certains peuples de la Grece en avoient inventé vne espece particuliere pour les petites filles, vne autre pour
les petits garçons , & vne troisiéme pour les hommes faits. Athenée qui en fait la remarque les ap-
l. 4. c. 24. pelle αὐλὸς παρθενίας, παιδίκας, ἀνδρείας, *tibias virginales,
pueriles, viriles.* Ie me contenteray de dire vn mot de
la passion que les anciens ont eüe pour cet Instrument,
qui a esté jusqu'à vn tel excez, qu'il n'y a sorte d'vsage
auquel on ne l'ait employé.

　　On s'en est servi pour chanter les loüanges des He-
ros & des personnes illustres. *Grauißimus author* , dit
l. 4. Tusc. 4. Ciceron *in originibus duxit Cato morem apud maiores
hunc epularum fuisse , vt deinceps qui accubarent, canerent*
.id

ad tibias clariorum virorum laudes atque virtutes. D'où vient le Proverbe, αὐτὸς αὐτὸν αὐλεῖ, *ipse suimet tibicen est*, il se chante, il est le trompette de luy-mème. Ce qui peut estre dit en bonne ou mauvaise part, ou de ceux qui se rendent recommandables par leur propre merite, & de qui les actions publient par elles-mémes la grandeur de leur ame ; ou d'vne autre maniere de gens, qui se loüent eux-mémes, & se vantent effrontément du bien qu'ils croyent avoir fait.

Le peuple Romain s'en est servi dans ses sacrifices; en sorte que les joüeurs de cet Instrument tenoient rang parmy les Ministres des Sacrificateurs, *Sacer tibicen*, dit Silius Ital. Ils avoient vn College dans la Ville, comme nous l'apprenons de Val. Max. & des anciennes inscriptions. Ils avoient mesme vne Feste qui leur estoit particuliere, & qu'ils celebroient aux Ides de Iuin, lesquelles pour cet effet estoient nommées *Quinquatrus minuscula*, parce que, comme dit Festus Pomponius, *Is dies festus est tibicinum, qui colunt Mineruam, cuius deæ festus est propriè dies quinquatrus, mense Martio* ; ou bien comme dit M. Varron : On a donné ce nom à ces Ides, *ob similitudinem maiorum, quod tibicines cum feriati per vrbem vagantur, & conueniunt ad ædes Mineruæ.* On faisoit la feste de Minerve pendant les cinq jours qui suivoient immediatement celuy des Ides de Mars ; ce qu'on nommoit *magna quinquatria*, & les *minora*, comme Ovide les appelle, estoient cette feste des joüeurs de flûtes & de Musettes, pendant laquelle ils couroient comme des foux par la Ville, faisant mille insolences avec toute sorte d'impunité, & s'enyvroiét dans les cabarets sans craindre la justice des Censeurs.

On s'en est servi dans les pompes funebres avec vne telle superfluité qu'il fallut faire vn Reglement pour en fixer le nombre à dix, comme l'on peut remarquer

par

l. 2.

l. 2, c. 1.
t. pen.

l. 2.

l. 4. de ling. lat.

6. Fast.

par ce fragment de la troisiéme Loy des douze Tables,
& decem tibicinibus ; Ce qui est confirmé par ces deux
vers d'Ovide :

Fast. 6.

*Adde quod ædilis, pompam qui funeris irent
Artifices solos iußerit esse decem.*

Artifices chez les Latins est la même chose que
τεχνῖται chez les Grecs ; & les vns & les autres appellent du même nom les Musiciens & les Comediens.

On s'en est servi dans les repas, *tibia comeßationum
administra est* : Dans les spectacles, *spectaculis com-
moda quibus pugnant ardentibus animis pugiles* ; Et dans
les combats : *Et vt quasi temulenti apud se non sint in
conflictibus bellicorum agminum duces.* C'est Pratinas
qui parle dans Athenée. On s'en est servi dans les

Plaut.

nopces. Les Amans en joüoient devant la porte de
leurs Maîtresses. Enfin

*Temporibus veterum tibicinis vsus avorum
Magnus, & in magno semper honore fuit.
Cantabat fanis, cantabat tibia ludis:
Cantabat mœstis tibia funeribus.*

Or le métier de joüeurs des Flûtes & de Musettes
estoit l'vn des plus lucratifs, & des plus agreables qui
fût de ce temps : *Dulcis erat mercede labor*, dit Ovide ; ou comme parle Apulée : *Tibia quæstu delectabi-
lior.* On les recevoit dans les meilleures Compagnies,
ils faisoient la joye des festes les plus solemnelles ; &
comme toutes ces assemblées ne se separoient point
sans faire de magnifiques repas, ils faisoient d'ordinaire fort bonne chere, sans qu'il leur coûtât rien ; ce
qui a fait dire à Plaute :

Musicè

Musicè herclè agitis ætatem, ita vt vos decet
Vino & victu, piscatu probo, electili
Vitam colitis.

Mostell.
act.3. sce.
2. v.40.

Il appelle mener vne vie de Musicien, ou comme dit
vn autre, *Tibicinis vitam viuere*, faire de bons repas,
souvent, agreablement, & sans qu'il en coûte rien. C'est
ce qui est fort confirmé par ces mots que l'on a dit autrefois des Poëtes & des Musiciens ; qu'eux seuls
avoient le droit d'offrir des sacrifices sans fumée. Aussi
la pluspart de ces joüeurs d'Instrumens estoient si gras,
qu'il a passé comme en Proverbe de dire: Gras comme
vn joüeur de flûte & de musette. *Pinguior tibicina*, dit
Plaute. Et Virgile:

Aulul. act.
2.sec.5.

2. Georg.
v. 193.

Inflauit cùm pinguis ebur Tyrrhenus ad aras.

Mais je ne m'apperçois pas que je passe au delà des
limites de mon dessein. Ie retranche vne infinité de
choses que l'on pourroit dire sur cette matiere. Ie n'ay
pû me defendre d'en rapporter quelques-vnes en faveur des curieux de l'antiquité, qui prendront peut-
estre la peine de lire ce Traité ; & j'ay crû ne pouvoir
loüer plus dignement cet Instrument, dont je parle,
qu'en découvrant son origine, & faisant connoître en
quelle estime il a esté dans les siecles les plus delicats,
& où les hommes avoient le goût le plus fin, pour faire
naître dans celuy-cy, qui les imite admirablement
bien, & qui mesme les surpasse en plusieurs choses,
encore plus d'amour & de veneration pour la Musette, à laquelle il peut se vanter d'avoir donné la derniere perfection.

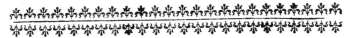

CHAPITRE II.

Que la Musette a esté fort commune autrefois parmy
les personnes de qualité. De la facilité qu'il y a
d'en bien ioüer. De l'vtilité de ce Traité.

 VELQVE rude que fût la Musette
ancienne en comparaison de celle que
nous avons à present , il est constant
qu'elle estoit fort en regne parmy les
gens de qualité. Vne preuve de cela est
qu on attribue l'invention du premier radoucissement
du chalumeau à vn Roy de Phrygie , comme il paroît

l.14.c.2.   par ces vers de Telestes rapportez par Athenée :

Phrygum rex leniter personantium tibiarum sacrarum
Cantum primus inuenit.

Pline nomme ce Roy Midas. Si donc ce Roy en faisoit son plaisir singulier, jusqu'à s'y rendre si sçavant,
qu'il ait esté capable d'ajoûter quelque chose à sa premiere invention, on ne peut douter que tous ses Cour-
tisans n'entrassent dans l'inclination de leur Prince, &
ne s'applicassent, pour luy plaire, à joüer de cet Instrument. Or comme les nouveautez establies dans vn
Royaume passent d'ordinaire chez les peuples voisins,
il est tres-vray-semblable qu'ensuite de cet exemple
l'amour pour la flûte & la Musette s'étendit bien loin,
& que de ce temps-là les personnes de condition, côme il seroit facile de le montrer, en firent l'vn de leurs
plus agreables exercices; ce qui est si veritable , qu'vn
homme estoit estimé ne rien sçavoir , qui ne joüoit

pas

pas de la Mufette. C'eft pourquoy vn autheur l'appelle dans Athenée, *Artem fapientem.*

Mais la peine qu'il y avoit à foufler produifant fouvent de dangereufes maladies, & cette enflure de la bouche & des joües demontant tous les traits du vifage jufqu'à rendre ridicules les plus reguliers, infenfiblement on quitta cet Inftrument.

——————*Liquidis faciem referentibus vndis*
Vidi virgineas intumuiſſe genas.
Ars mihi non tanti eſt ; valeas mea tibia;

Dit Pallas chez Ovide. Et pour cette raifon Alcibiade, qui eftoit devenu l'vn des plus habiles joüeurs de flûte de fon temps, l'abandonna, & n'en voulut plus joüer.

Or à prefent qu'avec le fecours du fouflet on a remedié à ces deux inconveniens, on peut dire affeurément que de tous les inftrumens de Mufique il n'y en a point de plus commode ny de plus facile que la Mufette. Il ne faut ny tant de fond, ny tant de peine qu'en exigent les autres. Vne perfonne qui l'aime & qui a tant foit peu d'oreille s'en peut divertir fort-agreablement aprés trois mois d'application, & au bout d'vne année d'étude affiduë il paffera les doubles avec beaucoup de netteté, particulierement ceux qui font dans ce Traité. Ce qui fait la difficulté des autres Inftrumens, comme la flûte, le flageolet, la traverfiere, &c. cefont les croifées des doigts qu'il y faut obferver, defquelles la Mufette eft exempte, auffi bien que du foufle de la bouche, qui occupe abfolument celuy qui joüe. Ce n'eft pas que le gouvernement du fouflet de la Mufette ne fatigue vn peu dans le commencement, mais quinze jours ou trois femaines en font la raifon.

Et

Et ainsi nul ne peut dire qu'il est trop tard pour commencer. Le desir seul d'en apprendre peut vaincre aisément toutes sortes d'obstacles, ainsi que l'experience nous en donne tous les jours de nouvelles preuves. C'est ce qui fait aussi qu'à present vn grand nombre de personnes s'y addonnent avec beaucoup de succez. Il n'y a rien de si commun depuis quelques années que de voir la Noblesse, particulierement celle qui fait son sejour ordinaire à la campagne, conter parmy ses plaisirs celuy de joüer de la Musette. Les Villes sont toutes pleines de gens qui s'en divertissent. Combien d'excellens hommes, & pour les sciences & pour la conduite des grandes affaires, delassent par ce charmant exercice leur esprit fatigué? Et combien de Dames prênent soin d'ajoûter à toutes leurs autres bónes qualitez celle de joüer de la Musette, à laquelle plusieurs joignans leurs voix elles luy semblent faire prononcer les paroles des airs qu'elles chantent.

Ie ne doute pas que la rareté des occasions & la peine de trouver des Maîtres pour apprendre à joüer de la Musette, ne soit cause que beaucoup de gens n'en joüent point du tout, ou n'en joüent que tres-mediocrement; mais j'espere qu'à l'avenir ce Traité remediera à ce defaut. Car enfin il est hors de doute, & la pratique le fera connoître à qui ne le croira pas, que quiconque aura vn chalumeau, vne musette, & ce Traité, pourra de luy-même & tout seul fort bien apprendre à joüer, pourveu que d'ailleurs il ait l'inclination & l'oreille, & qu'il suive fidellement les avis que je donne sur tout ce qui peut arriver à ceux qui étudient.

CHAPI

CHAPITRE III.

Des qualitez neceſſaires pour apprendre à bien ioüer de la
Muſette, l'inclination & l'oreille. Comme il faut
étudier. Des tremblemens.

E penchant que nous avons à faire les
choſes eſt vne diſpoſition à les bien faire. On poſſede preſque déja ce que l'on
veut apprendre, quand on l'aime. La
nature à demy preparée par cette inclination ſecrette reçoit avec des progrez merveilleux
toutes les inſtructions de l'art. Quand on eſt né Poëte,
Peintre, Muſicien, on n'a preſque pas beſoin de Maîtres; ſi l'on s'en ſert, ce n'eſt que pour s'inſtruire des
maximes de l'vſage. Ce genie naturel eſt le premier,
le plus ſçavant, & le plus heureux de tous les Maîtres;
& en vain l'on en conſulte d'autres, ſi celuy-là ne donne la premiere main. Il faut donc que celuy, qui
veut apprendre à joüer de la Muſette avec ſuccez
ſoit touché d'vne forte paſſion pour cet Inſtrument, il doit naturellement aimer ſon harmonie,
parceque quand on aime quelque choſe, le premier
mouvement qui s'éleve dans le cœur, eſt le deſir de la
poſſeder; & côme l'on ne vient à cette poſſeſſion que
par des moyens deſtinez & propres à cet effet, on
court avec empreſſement à ces moyens, & l'on s'en
ſert de toutes les manieres que l'on peut pour reüſſir
dans ſon entrepriſe. C'eſt à dire que quand on aime la
Muſette, ou quelque autre Inſtrument de Muſique que
ce ſoit, cette inclination fait que l'on s'attache avec

soin aux regles que l'on prescrit pour apprendre à bien joüier; qu'on écoute avec attention les avis que l'on donne pour les mettre exactement en pratique, & que par ce moyen l'on devient habile, & l'on possede pleinement ce que l'on veut sçavoir.

La seconde disposition necessaire pour joüier de la Musette est l'oreille. C'est à dire qu'il faut que cet organe qui juge des sons, que nous appellons l'oreille, ait vne faculté naturelle d'en discerner la justesse des cadances, & d'en connoître les proportions. Sans cette qualité l'on confond toutes choses, on ne s'entend, ny on ne se fait entendre aux autres, & on ne peut plaire à personne; car la beauté de l'harmonie consistant dans l'ordre des tons, quelle grace peut-elle avoir quand elle est ainsi troublée par ce defaut de l'organe, qui est son Iuge & sa regle?

Ces deux qualitez l'inclination & l'oreille sont presque inseparables, parce qu'il est bien difficile d'aimer les Instrumens de Musique & de n'avoir pas d'oreille, puisque cette passion ne naît que des charmes qu'on trouve dans leur harmonie, qui frappe ce sens, qui est le juge naturel des sons. Ainsi ces deux qualitez sont presque toûjours jointes l'vne à l'autre; je dis presque toûjours, parce qu'il peut arriver quelquefois que des gens ayent de l'oreille, sans estre touché d'aucune inclination pour les Instrumens, & que d'autres jugent sçavamment des tons de la Musique, sans l'aimer.

La troisiéme & la plus importante disposition est de sçavoir étudier. Quoyque la maniere d'étudier ne soit pas la science, sans elle neanmoins on ne peut en apprendre aucune. Or pour étudier dans les commencemens avec vtilité;

Il faut avoir vn chalumeau dont l'anche soit fort radoucie,

doucie, afin qu'elle ne donne aucune peine à foufler.

Il faut s'attacher à exprimer le plus lentement qu'il fe pourra les tons l'vn aprés l'autre, comme ils font marquez dans la tablature.

Il faut doigter quelque temps fans rechercher la mefure ny l'air que l'on étudie. Cette premiere difficulté eftant furmontée, il eft aisé de venir à bout du refte.

Il faut lever les doigts le moins que l'on peut, parce que le jeu en devient plus net & plus hardy.

Il faut enfin prendre garde de ne jamais laiffer deux trous ouverts en même temps, à moins qu'on ne tremble, ou qu'on ne touche vne clef, la chofe ne fe pouvant faire autrement.

Quant aux tremblemens, c'eft d'eux d'où depend toute la grace du jeu ; ils l'adouciffent par cette fufpenfion, où ils tiennent l'oreille, ils rendent leur chûte beaucoup plus agreable, ils expriment les plaintes, & ils fervent extremement à relever la hardieffe du jeu des fçavants.

Il y en a de deux fortes. Le premier qui eft le plus commun & le plus pratiqué, eft exprimé par vne virgule dans la tablature. Par exéple. Lors qu'aprés vn 4. il y a vne virgule (,) cela marque qu'il faut laiffer le quatriéme trou du chalumeau ouvert, & trembler fur le troifiéme, & ainfi des autres. Le fecond tremblement eft le delicat & le doux. Il s'exprime tout au contraire de l'autre ; c'eft à dire qu'au lieu de trembler au deffus du trou qui eft ouvert, il faut trembler au deffous. Par exéple lors qu'aprés vn 4. il y a vne virgule, pour faire le tremblement doux, il faut trembler fur le cinquiéme trou, pendant que le quatriéme fera ouvert.

Il eft tres-neceffaire de s'appliquer dans les commencemens à paffer nettement & fans confufion ces tremblemens.

CHAPITRE

CHAPITRE III.

Des grimaces, & de la maniere de les eviter.

ELVY qui apprand à joüer de la Mufette doit prendre garde entre autres
chofes de ne point faire de grimaces.
Il eft fi facile de contracter ces mau-
vaifes habitudes, qu'à moins d'y ap-
porter vn foin tres-particulier, les plus habiles s'y en-
gagent fans s'en appercevoir, & d'vne maniere à ne
pouvoir jamais s'en défaire. Les vns retiennent leur
refpiration ; les autres fe mordent, ou remüent les levres ; celuy-là bat extravagamment du pied ; celuy-
cy tourne tout le corps avec vne violence & vne agi-
tation extreme. Enfin j'en ay vû faire à des gens de fi
terribles, que je demanday vne fois à l'vn d'eux, que
j'eftois allé entendre, comme s'appelloit fon demon,
tant fes contorfions m'effrayerent. Vne Dame que j'y
avois accompagné me répondit, *Mufette* ; & auffi-
toft me retirant je promis à cet épouvantable joüeur
de luy envoyer vn Exorcifte en ma place. Il n'y a rien
de fi ridicule ny de fi incommode que ces mouvemens
irreguliers du corps, qui fatiguent ceux qui entendent
joüer, plus que l'harmonie de l'Inftrument dont on
joüe, ne les divertit. C'eft pourquoy il faut s'étudier à
ne point tomber dans ce defaut ; ce qui fera tres-faci-
le, pourveu qu'on s'y applique de bonne heure, & que
dez le commencement on détruife les caufes de ces
habitudes.

Elles naiffent ordinairement de deux fources. La
premiere,

premiére, qui est la plus forte & la plus dangereuse, est l'impatience d'apprendre, & la precipitation dans l'étude. L'esprit conçoit plus promptement ce qu'il faut faire, que les doigts ne le peuvent exécuter ; & comme il ne se sent pas obey avec la même vitesse qu'il commande, il s'en prend à tout le corps, & s'explique par les grimaces qu'il luy fait faire. Or le grãd secret de s'en exépter, c'est d'étudier fort doucement, & de donner temps à l'habitude de prendre racine sans la forcer. On peut même joüer souvent devant des miroirs. La representation naïfve de nos defauts nous en corrige d'ordinaire avec plus de succez que les plus forts raisonnemens.

L'autre cause des grimaces vient de l'emportement du joüeur, qui se ravit luy-même, & qui s'entousiasme de sa propre harmonie. Celles-cy ne sont pas si defectueuses que les autres; elles ne consistent qu'en quelques coups de teste, & quelques battemens de pied, qui semblent marquer la mesure, & qui tirent plustost sur le geste qui exprime l'admiratiõ que sur la grimace. Aussi elles ne sont pas si difficiles à deraciner que les autres: car il est tres-rare qu'on se guerise de celles-là; au lieu que ceux qui font celles-cy en sont tellement les maîtres, qu'ils peuvent cesser de les faire quand il leur plaît. Il est beaucoup plus avantageux d'estre toutafait exépt des vnes & des autres, parce qu'autrement on déplait à ceux devãt qui l'on joüe, & à la fin on court risque de se dégouter soy-même. *Valeas mea tibia,* dit Pallas en pareil cas, comme je l'ay déja remarqué, ou comme Menalippide dit encore plus conformément à mon sujet:

Pallas quidem sacra de manu abiecit
Instrumenta, dixitque : abite in malam crucem
Corporis probra turpia.

ἔῤῥετ᾽ αἴσχεα σώματι λύμα.

Les anciens se servoient d'vn moyen assez plaisam-
ment imaginé, pour eviter ces grimaces. On en attribue l'invention à Marsyas. Ils attachoiét au tour de leur
teste vne espece de lien de cuir, qui repassant sur leur
bouche en prestoit si fort les lévres , que quelqu'effort
que fit le joüeur en souflant, il ne pouvoit donner à son
chalumeau que le vent, qui luy estoit necessaire pour
l'animer. Et ainsi ses joües & sa bouche retenuës par
cette bride ne s'enfloient point, & ne devenoient pas
si difformes, que si elles eussent esté en pleine liberté. Il
y avoit seulement à l'endroit de cette bride, qui répondoit à la bouche, vn petit trou pour faire entrer l'anche.
On nommoit ces brides, φορϐεῖας, *Capistrum*. On disoit
aussi de ceux qui soufloient dans leur chalumeau avec
trop de violence & sans mesure qu'ils en joüoient sans
estre bridez. Sophocle :

φυσᾶ γδ\` ό'υ σμικροῖσιν ἀυλισχοίς έτι

αλλ' αγρίαις φύσαισι φορϐεῖας άτερ.

Non iam ille modicas ore inflat tibias ,
Sed sine capistro enormibus flat follibus.

Pour mieux faire concevoir la chose , j'ay fait icy
graver la figure d'vn homme bridé de la maniere que
je viens de dire. Ie l'emprunte de l'illustre Monsieur

Exercita-
tiones Pli-
nianæ T.2.
Salmasij. Saumaise, qui soûtient que c'est celle de Marsyas copiée
sur vn ancien cachet que de sçavans hommes ont écrit
avoir esté entre les mains de Velserus, dont ils l'ont ti-
rée.

CHAPI

CHAPITRE V.

Des parties dont la Muſette eſt composée.

 N jugera d'abord qu'il eſt inutile de parler des parties de la Muſette , que l'on achete ordinairement toute faite ; mais j'ay toûjours eſtimé qu'il falloit ſçavoir les choſes par leur nom , parce que la connoiſſance des noms eſt tres-ſouvent vne ouverture admirable pour l'intelligence de la nature des choſes. La Muſette donc eſt composée de quatre parties principales , le chalumeau, le bourdon, la peau & le ſoufflet.

Le chalumeau , qui eſt à proprement parler l'ancienne Muſette, eſtoit fait dans le commencement de tuyaux de paille d'avoine , d'où il eſt nommé, *Auena.* Les Doriens Italiques , comme Athenée le remarque aprez Artemidore Ariſtoph. appellent toutes ces ſortes de chalumeaux faits de tuyaux de paille, *Tityrinum,* αὐλὸς πτὺερνες. On les fit enſuite de cannes & de joncs, *Arundo.*

l.5.c.21.

Ovid.

Sumptaque arundinibus compacta eſt fiſtula centum.

Et plus generalement *calamus* ; car c'eſt ſe tromper que de prendre, en parlant de chalumeaux, χαλαμόυς, pour des tuyaux de paille, *auenis & ſtipulis.* Les Poëtes Grecs ne diſent point χαλαμον pour marquer vn tuyau de paille d'avoine & de bled , mais χαλάμαν. Theocrite , ὀυκέπουν χορύδωνι ἀρκεῖ οἱ καλάμας αὐλὸν ποππύσδεν ἔχοντι ; au lieu que χάλαμος a preſque toûjours eſté

C 2   pris

pris par les meilleurs & les plus anciens autheurs pour
vne canne & vn jonc. Aprés cela on les fit de l'os de
la jambe d'vne grüe, ou d'vn petit chevreau, ou d'vn
âne. C'eſt pourquoy on l'appelle *tibia*. On en a fait du
bois de Lotos. *Lotina tibia*, que les Alexandriens nom-
moient φωλγ͂ες, *Photinges*. On en a fait d'yvoire,
Elephantina. On en a fait d'argent ; de buis.
Prima terebrato per rara foramina buxo.
Enfin il n'y a gueres de matiere qu'autrefois on n'ait
employée pour faire des chalumeaux;& à preſent c'eſt
preſqu'encore la même choſe. On les fait d'ordinaire
de buis, de prunier , d'yvoire & d'ebeine. Cette partie
eſt la principale de la Muſette.

Quoyque le bourdon ſoit le chef-d'œuvre de l'ou-
vrier , & ce qu'il y a de plus difficile dans la conſtruction de cet Inſtrument, neanmoins il n'eſt que le ſoû-
tien du chalumeau, ſans lequel ſon harmonie eſt tres-
peu de choſe ; au lieu qu'eſtant joints l'vn à l'autre, il en
reſulte tout ce qu'on admire dans la Muſette. Il y a dans
le bourdon le corps du bourdon, les anches, les colices,
& la roſe , qui ne ſert ſimplement que d'ornement au
bourdon. Les anches ſont comme les langues de ces
bouches. Elles ont eſté inventées ſur l'effet que l'on a
remarqué que faiſoit vne feüille d'arbre agitée par le
vent dans vne certaine diſpoſition, ou bien vn brin
d'herbe mis entre les levres quand on ſouffle.

La peau eſt celle qui reçoit le vent, & qui vnit le
bourdon au chalumeau par le vent qu'elle entretient.
Nous avons déja parlé du ſoufflet. Il a vn reſſort, vn
portevent,& vne ſouspappe comme ceux des orgues.
Il eſt inutile d'expliquer plus au long ces parties, que
l'on peut voir facilement en vn coup d'œil dans la
Muſette; il ſuffit de les connoître par leur nom.

Ceux qui voudront aller plus loin & s'inſtruire de la
conſtruction

conftruction de cet Inftrument, pourront confulter
l'harmonie vniverfelle du Pere Merfenne. Ils y verront
toutes les parties de la Mufette en figure, avec des ex-
plications tres-claires de tous les diapazons, & de tout
ce qui eft neceffaire pour bien faire vne Mufette.

CHAPITRE VI.

De l'étenduë de la Mufette. Des modes & des accords fur
lefquels on y peut ioüer.

 'E T E N D V E ordinaire de la Mufette eft d'vne dixiéme ou d'vne douziéme, fuivant les clefs qu'on ajoûte au
deffus du chalumeau. On peut joüer
par bemol & par becarre, comme l'explication de la tablature le ferâ voir, & particulierement fur fix diapazons, appellez le 4. le 5. le 6. 7.
le 8. & le 9. Le 5. eft communément nommé le jeu de
l'entremain. On l'appelle le cinq, parce que tous les
airs qui fe joüent fur ce diapazon doivent finir par le
cinquiéme trou, & ainfi des autres.

Il fe joüe en *c. fol. vt fa.* quoy qu'il commence par
le *fol.* de *g. re. fol.* eu égard au ton le plus bas du chalumeau, qui eft l'*vt* de *c. fol. vt fa.* exprimé dans la tablature des nombres par 9.

Le 4. le 6. le 7. & le 9. sôt des diapazôs fort agreables,
mais ils ne font point fi naturels au chalumeau, que le
5. cy-devant nommé l'entremain, & le 8. qu'ordinairement on appelle le plein jeu. Et parceque ces deux derniers font les plus en vfage, auffi le plus grand nombre des exemples que je donneray, fera fur ces deux

modes, fans pourtât m'exépter d'en marquer quelques-
vns fur le 7. & fur le 9. pour les curieux , afin de ne
pas rendre inutile vne partie des accords du bourdon,
qui font faits exprez pour ces fortes de diapazons.

CHAPITRE VII.

Explication du chalumeau fimple , & de la
tablature.

 L n'y a rien de fi facile que de fçavoir
la portée du chalumeau , & l'explication de la tablature. On voit par cette
figure les trous, & les clefs qui font dans
le chalumeau, par le moyen defquels la
tablature fera bien-tôt entenduë.

Il faut en premier lieu boucher avec la main gauche
les quatre premiers trous du chalumeau , à commencer au deſſus, fçavoir avec le pouce le trou deſſous
marqué par 1. avec le premier doigt le 2. avec
le fecond doigt le 3. avec le troifiéme doigt le
4. Aprez de la main droite il faut boucher les autres
trous , fçavoir du premier doigt le 5. du fecond le 6.
du troifiéme le 7. & laiſſer le petit doigt en l'air , pour
le pofer quand il eſt neceſſaire fur le 8. trou. Tellement
que pour exprimer les tons du chalumeau, l'vn aprez
l'autre, comme ils font icy marquez dans cette tablature par nombres,

Il

Chalumeau simple.

Page 22.23.

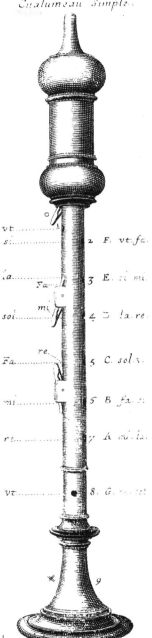

vt......

si...... 2 F. vt fa.

la...... 3 E. si mi.

Fa mi.

soi...... 4 D la re.

re.

Fa...... 5 C. sol.

mi...... 6 B fa.

re...... 7 A mi la.

vt...... 8 G re sol.

9

mesure entiere | blanche | noire | crochue | double crochue

Il faut tout tenir bouché des deux mains , à la re-
serve du dernier trou, qui est le 8. & lever vn seul
doigt à la fois. Comme par exemple cette tablature commence par vn 5. c'est à dire qu'il faut lever
le 5. & le reboucher d'abord ; aprez lever le 4. &
le rebaisser aussi, ensuite le 3. le 2. & ainsi des autres. Quand on est arrivé au trou 1. qui est le pouce
de la gauche, on ne le peut pas reboucher, parce
qu'il faut que le mesme pouce touche la clef marquée
par o. Il en est de même des autres clefs. Il ne faut
jamais lever qu'vn doigt à la fois , si ce n'est lorsque
l'on tremble , & c'est ce que l'on appelle joüer à couvert. L'effet de ce jeu est de mieux articuler les tons.
De plus le ton 8. fait par ce moyen vne quarte avec
la finale du jeu du 5. qui parle toûjours lorsque le
dessus chante ; sur tout pendant que le joüeur
ne leve gueres les doigts , & qu'il joüe nettement.
Le jeu à découvert, est plustost celuy de la Musette
des Bergers, que de l'Instrument dont nous parlons
icy. Voicy la tablature que je viens d'expliquer marquée en musique.

Pour joüer sur cette tablature par bemol il n'y a
qu'vne notte à changer , sçavoir, au lieu d'ouvrir le 5.
le 4. & le 3ᵉ. trou, qui font regulierement vne tierce
majeure, *fa. sol. la.* il faudra ouvrir le 5. le 4. & la
clef qui est au dessous des trous 3. & 4. appellée le bemol

mol du 3 .qui exprimeront la tierce mineure *re. mi. fa·*
Ce qui se peut voir dans cette tablature de nombre &
de musique.

CHAPI

CHAPITRE VIII.

Explication du petit chalumeau, & de toutes les clefs, qui
font dans le grand avec leurs figures.

E chalumeau fimple ne peut faire qu'v-
ne dixiéme ou douziéme , fuivant les
clefs que l'on y met; mais à prefent que
le fieur Hotteterre a ajoûté ce fecond
appellé le petit chalumeau, on peut di-
re qu'il a mis la Mufette dans la perfection que l'on
pouvoit defirer, puifque l'on y peut à prefent exprimer
les diezes & les bemols qui font toute la beauté & la
juftefle des airs que l'on y joüe ; & par le moyen de
ce petit chalumeau on peut monter par tons, femitons,
diezes & bemols , jufqu'à dix-neuf & vingt degrez de
fuitte , comme l'on peut voir par experience, & même
par la figure qui eft dans ce Chapitre , dans laquelle
j'ay mis les deux chalumeaux , comme ils paroiffent
deffus & deffous.

Mais avant que d'en venir au détail du petit chalumeau, il eft neceffaire d'expliquer le grand avec toutes
les clefs qu'il a deffous & à côté. Premierement les
deux derniers trous du chalumeau eftant bouchez,
ils font le 9. N'en bouchant qu'vn on entend le dieze
du 9. qui eft exprimé dans la tablature. Aprez vient le
8. & fon dieze, qui font deux trous l'vn auprez de l'autre , & les autres de fuite comme je les marque icy
aprez.

le neuf   9.
le dieze du neuf.   ?.

                                              D   le

le huit	8.
le dieze du	$\frac{8}{\cdot\cdot}$
le sept	7.
le six	6. qui fait vn bemol.
le dieze du six	$\frac{6}{\cdot\cdot}$
le cinq	5.
le dieze du cinq	$\frac{5}{\cdot\cdot}$
le quatre	4.
le trois	3. qui fait vn bemol.
le dieze du trois	$\frac{3}{\cdot\cdot}$
le deux	2. fait l'octaue du neuf.
le dieze du deux	$\frac{2}{\cdot\cdot}$ fait l'octaue du dieze du 9.
l'vn	1. fait l'octaue du 8.

la clef du petit chalumeau qui suit le 1. ^{b}o₄ fait vn bemol entre le trou 1. & la clef qui le suit , & l'octaue du dieze du 8.

Le grand chalumeau finit à cette clef, aprez quoy suit le petit, composé de six clefs , que je nommeray par leur nombre 1. 2. 3. 4. 5. 6. & que l'on marque en tablature par les six caracteres suivans , ^{b}o₄ o ^{b}o₅ o o $^o_6$ les trois premieres desquelles sont dessous le petit chalumeau , & se joüent avec le pouce de la main droite, qui est vn doigt inutile à l'autre chalumeau, si ce n'est pour soûtenir la main. Les trois autres clefs sont dans la partie superieure du petit chalumeau, & se rencontrent justement sous le petit doigt de la main gauche, qui trouve là de quoy s'employer , estant inutile d'ailleurs. Il faut encore sçavoir touchant les derniers tons du grand chalumeau que la premiere clef du petit chalumeau marquée par ce caractere ^{b}o₄ fait vn bemol entre le trou 1. du grand chalumeau, & la clef qui suit ledit trou. La seconde clef du petit chalumeau marquée par o fait l'vnisson à la derniere clef du grand chalumeau, qui est auprez du trou 1. & par consequent

ne

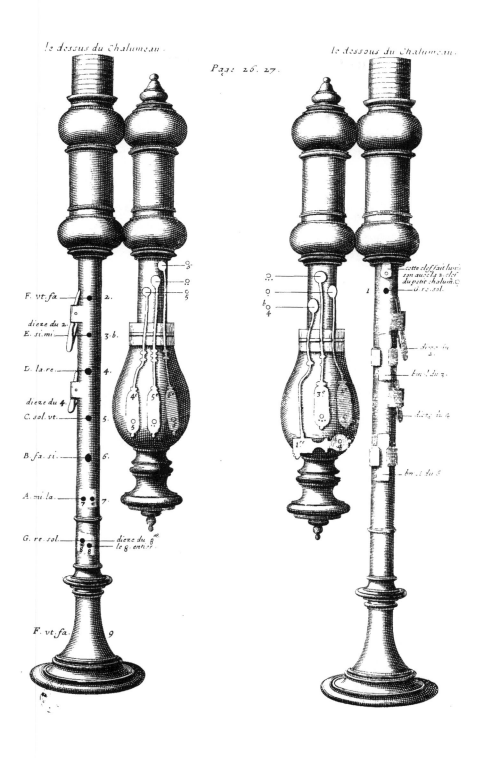

le dessus du Chalumeau.

Page 26. 27.

le dessous du Chalumeau.

F. vt. fa.   2.

dieze du 2.
E. si. mi.   3. b.

D. la. re.   4.

dieze du 4.
C. sol. vt.   5.

B. fa. si.   6.

A. mi. la.   7. 7.

G. re. sol.   dieze du g.
le g. entier.

F. vt. fa   9

cette clef fait luns
son aussi 2. clef
du petit chalum.
G. re. sol.

dieze du
2.
bin. l. du 3.

dieze du 4.

bin. l. du 5.

ne font que le même fon ; Et voicy comme les autres
continuent , & le rapport qu'elles ont aux tons du
grand chalumeau.

La premiere clef ^{6}o, fait vn bemol entre le trou 1.&
la clef O & l'octave du dieze du 8.

La feconde clef O fait l'octave du 7. & l'vniffon de
la clef O.

La troifiéme clef ^{b}o, fait l'octave du dieze du fix ^{b}.

La quatriéme clef O fait l'octave du 6.

La cinquiéme clef O fait l'octave du 5.

La fixiéme clef $^o_?$ fait l'octave du 4.

Voila toute l'étenduë des deux chalumeaux de la
maniere qu'on en joüe à prefent. Ce qui eft d'admirable dans l'invention de ces clefs, c'eft qu'il fe rencontre que les doigts pour lefquels elles font faites, ne font
point occupez fur les chalumeaux fimples & ordinaires, en quoy le bon fens de l'inventeur de ce petit chalumeau a paru ; car pour ajoûter à la Mufette ce qui luy
manquoit, il en a trouvé le moyen en occupant deux
doigts , fçavoir le petit doigt de la main gauche, & le
pouce de la droite, qui n'agiffoient point. Et à dire le
vray, ce petit chalumeau ne paroit dans fa beauté
qu'entre les mains de celuy qui la inventé. Ie donne
des pieces dans les exemples pour le petit chalumeau,
afin que l'on trouve le moyen de l'employer. Il ne refte
plus qn'à parler de la mefure , afin de donner vne
pleine connoiffance de tous les myfteres de la tablature.

CHAPITRE IX.

De la mefure en faveur de ceux qui ne fçavent pas la Mufique.

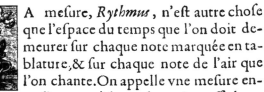

A mefure, *Rythmus*, n'eft autre chofe qne l'efpace du temps que l'on doit demeurer fur chaque note marquée en tablature,& fur chaque note de l'air que l'on chante.On appelle vne mefure entiere le temps que l'on met à lever la main auffi haut que la tefte , & la rebaiffer. On exprime cet efpace de temps par vne ronde marquée ainfi. O. La moitié de cette mefure , fçavoir le temps que l'on met à lever la main fans la rebaiffer, s'appelle vne blanche : il en faut deux pour faire vne mefure entiere. Cette blanche fe divife en deux noires; chaque noire en deux crochües, & chaque crochüe en deux doubles crochües, qui font marquées dans la planche du petit chalumeau. Tellement que la mefure entiere O. eft divifée en deux parties égales par deux blanches , en quatre parties par quatre noires, en huit par huit crochües, & en feize par autant de doubles crochües. Il faut remarquer que fouvent aprez ces notes on trouve des points qui vallent la moitié de la note qui les precede.Par exemple, vne blanche & vn point vaut trois noires , vne noire & vn point vaut trois crochües, & ainfi des autres.

Il faut fçavoir parfaitement la valeur de ces notes, & s'attacher preferablement à toutes chofes à l'obferver, parce qu'elle regle la mefure, qui eft l'ordre & l'ame du jeu.Vn joüeur mediocre qui obferve la mefure plaît

infini

infiniment davantage, que celuy qui a la main plus vî-
te & plus fine, & qui ne joüe pas jufte.

CHAPITRE X.

Des pieces propres à la Mufette.

 VOYQVE prefque toutes fortes d'airs
fe puiffent exprimer dans l'étenduë du
chalumeau , neanmoins on remarque
que les Gavottes l'emportent par deffus
tous les autres. C'eft ce que le vulgaire
appelle branles, parceque leur mefure & leur mouvement excite à la danfe. De même les complaintes qu'on
nomme Aubades à la campagne , où la Mufette regne
comme dans fon empire, y reüffiffent admirablement
auffi bien que certains petits airs fimples , foûtenus de
quelques paroles agreables, dont l'expreffion a je ne
fçay quoy d'inexplicable dans fes charmes, & particulierement lorfque ces airs fe rencontrent naturels au
diapazon du chalumeau. On en trouvera plufieurs que
j'ay donné dans les exemples, qui ne defagréeront pas
à ceux qui aiment la Mufette. On peut bien encor
joüer des courantes, des farabandes, des balets, & même quelques alemandes ; mais toutes ces pieces ne
font pas dans leur place fur la Mufette. Cet Inftrument
ne refpire que la naïveté & la fimplicité champeftre.
Cela n'empêche pas que chacun ne puiffe fe fatisfaire
fuivant fon inclination.

L'ancienne Mufette avoit fes airs particuliers', qui
luy eftoient propres, auffi bien que la nouvelle, Athen. l.4. c.2.

en rapporte quelques-vns, dont il a fait l'extrait d'vn
autheur qu'il cite appellé Tryphon. *Tryphon*, dit-il,
*libro 2°. nomenclaturarum has recenſet cantiones tibiales,
comon, bucoliaſmum, gingras, tetracomon, epiphallon,
choricam, callinicon, polemicam, hedycomon, ſicynnotur-
ben, thyrocopicon, quæ crouſithyros etiam dicitur, cniſmon,
mothona, quæ omnes cum ſaltatione canebantur.* C'eſt
à dire que de ces airs les vns eſtoient propres pour eſtre
joüez pendant les repas, & ces aſſemblées de joye où
l'on ne recherche que ce qui divertit ; les autres dans
les combats ; les autres dans les triomphes ; Et quoyque chacun eût ſon caractere particulier, ils avoient
neanmoins cela de commun, qu'ils eſtoient tous faits
exprez pour danſer. L'air qui s'appelle *bucoliaſmus*,
eſt le plus ancien & le plus connu de tous encor au-
jourd'huy. Le *Mothon* eſt à proprement parler vn
branle de village.

CHAPITRE XI.

Des concerts & accords de Musette.

 E S concerts de chalumeaux ou de Musettes estoient tres-communs parmy les anciens. Ils estoient composez de simples Musettes, ainsi que nous le pouvons inferer de ces vers d'Antiphanes rapportez par Athenée :

l. 14. c. 2.

> A. *Quam quæso nouerat is synauliam?*
> B *Illam enim vero scit adhuc; sed præterea canebant tibia.*
> *Suorum docti concentuum numeros*
> *Simul coniungere cum dulci tibiarum sono.*

Ou de Musettes & de voix, comme ce méme passage semble le marquer ; ou de Musettes avec d'autres instrumens, & particulierement la Lyre :

> *Communis est ô adolescentule,*
> *Tibiarum atque lyræ cantus musicus*
> *Nostris lusibus: cùm enim probe concordant, eum si quis*
> *   modum intelligat,*
> *Voluptas tunc percipitur procul dubio maxima.*

Dit Ephippus, selon le témoignage d'Athenée. Les Grecs appellent ces concerts, συναυλίαν.

In Mercatore. Ibid,

Les Romains avoient aussi leurs concerts de Musette, sur tout dans les comedies, où les joüeurs de ces instrumens estoient partagez comme en deux chœurs aux deux bouts du theatre, se regardant l'vn l'autre. On appelloit vn côté *tibias dextras*, & l'autre *tibias sinistras*.

siniſtras. Les Muſettes de la main droite eſtoient celles
dont les joüeurs avoient les Comediens à leur droite,
& les ſpectateurs à leur gauche ; tout au contraire des
Muſettes de la main gauche, dont les joüeurs avoient
les ſpectateurs à leur droite, & les Comediens à leur
gauche. Or je croy que les Muſettes de la main gauche rendoientvn ſon grave, & celles de la droite vn
ſon aigu, parceque celles-cy eſtoient faites de la partie
ſuperieure du jonc, & que celles-cy eſtoient faites de
cette partie du jonc ou du roſeau qui eſt la plus proche
de la terre, & qui par conſequent eſtant la plus épaiſſe,
& ayant le trou plus large que celle qui eſt plus éloignée de ſa racine, doit neceſſairement produire vn ſon
plus grave. C'eſt ce que je conclus de ce paſſage
de Pline : *Sed tum ex ſua quemque tantum arundi-*
ne congruere perſuaſum erat : & ad eam quæ radicem
anteceſſeret , læua tibia conuenire , quæ cacumen dex-
tra. D'où vient que nous liſons chez Terence, à la
teſte de quelques-vnes de ſes comedies : *Acta eſt tibiis*
dextris & ſiniſtris ; c'eſtà dire, dans cette comedie il
y a eu des Muſettes, dont les vnes avoient le ſon aigu, & les autres le ſon grave. De cette maniere ces
Muſettes eſtant joüées toutes enſemble faiſoient ce
qu'on appelle vn concert, peut-eſtre vn peu moins re-
gulier, que ce que nous concevons à preſent, en pre-
nant ce mot à la rigueur. Mais quand nous liſons, *pa-*
ribus dextris & ſiniſtris, nous devons entendre que les
Muſettes de l'vn & de l'autre côté joüoient toutes en
vniſſon & ſur vn même ton. La brieveté que j'affecte
dans ce Traité m'empêche de parler des Muſettes
qu'on appelloit *tibias farranas & phrygias, pares & im-*
pares, & de leur difference, qui fait tant de procez
entre les ſçavans critiques. Venons aux concerts de
nôtre ſiecle.

L.16.c.36.
v. fin.

Dans

Dan l'eftat où eft à prefent la Mufette on ne peut
rien trouver de plus doux, ny de plus merveilleux que
les concerts qu'on en fait, comme on le peut juger par
ceux qui contribuent fouvent à ce divertiffement de
nôtre invincible Monarque.

Les reprefentations paftorales & champeftres ne
s'en fçauroient paffer, & nous en voyons prefque tous
les ans dans les balets du Roy. C'eft dans ces fortes de
rencontres où le petit Chalumeau du Sieur Hotteterre
triomphe, & donne vne étenduë au Chalumeau de
la Mufette capable de foûtenir toutes fortes d'airs,
particulierement dans fes mains,& en fort peu d'autres.
Les haubois & les cromornes font auffi vn agreable effet avec les Mufettes affemblées. Les concerts de Mufettes font tres rares dans les Provinces. Tout ce que
peuvent faire les particulier qui y trouvent leur plaifir,
c'eft d'avoir des Mufettes à l'octave l'vne de l'autre, &
d'y mefler quelques cromornes, flûtes & bas fons;
mais pour des concerts parfaits compofez de deffus de
Mufettes, taille, haute, contre & bafle,il eft affez difficile d'en faire, parce qu'il faudroit avoir des Mufettes
faites exprez, toutes de differents diapazons, & des
parties auffi composées avec foin fur les fujets que l'on
voudroit exprimer. Ce que peu de maîtres entrepren-
dront de faire par le peu de debite que tout cela auroit,
& par la grande peine qu'il faudroit pour fabriquer
lefdits Inftrumens,& compofer lefdites parties,& même de trouver des perfonnes pour joüer.

CHAPITRE XII.

Ce qu'il faut obſerver pour conſerver vne Muſette.

E qui eſt de plus de fâcheux à la Muſette, c'eſt la facilité qu'elle a de ſe dé-
traquer. On peut dire que c'eſt l'Inſtrument qui ſe détraque le plus facilemét,
& qui donne le plus de peine à reparer:
quand vne corde manque dans vn luth, vne guittarre,
vn claveſſin, on en a bien-toſt remis vne autre ; mais
il n'en eſt pas de même dans la Muſette, car lors qu'v-
ne anche eſt détraquée, c'eſt à dire trop ouverte par le
ſec, trop fermée par l'humide, ou caſſée, il n'y a point
d'autre remede, que d'en remettre vne autre; & l'on
ne trouve pas des anches à acheter par paquets comme
des cordes. C'ſt pourquoy pour éviter ces inconveniens, il y a pluſieurs choſes à obſerver; premierement
il faut remarquer que l'anche qui donne la vie au chalumeau, & celles qui animent le bourdon ſont faites
de canne, qui eſt vne matiere facile à recevoir de l'alte-
ration, & à ſe jetter par le trop de ſec ou d'humide; &
vn habile joüeur qui achete vne Muſette, doit toûjours
faire proviſion de quelques anches pour le chalumeau
en cas de beſoin, particulierement lors que ſon ſéjour
eſt à la campagne & qu'il eſt éloigné des maîtres
faiſeurs de Muſettes; autrement il ne faudra qu'vn petit
accident pour la mettre en mauvais état.

Enſuite pour bien conſerver vne Muſette, il faut la
tenir ordinairement dans vn lieu qui ne ſoit ny trop
ſec,

sec, ny trop humide, parceque le sec fait jetter & ouvrir l'anche, & l'humide l'enfle & la ferme.

Il ne faut jamais soufler avec la bouche ny dans le
chalumeau, ny dans le porte-vent, pour quelque sujet
que ce soit, parceque le vent qui vient de la bouche
estant gras & humide enroüille l'anche, & la corrompt
tost ou tard.

Il la faut tenir dans vn étuy ou vn sac fait exprez, &
jamais ne la souffrir manier à ceux qui n'en sçavent pas
joüer, parceque tombant entre les mains de ces sortes
de gens, il y en a peu qui ne souflent dans le porte-
vent avec la bouche, ou avec le souflet, pour la faire
parler; ce qui étouffe les anches, en leur donnant plus
de vent qu'il ne leur en faut.

Il n'en faut jamais joüer au soleil, ny auprez du feu,
ny au vent: le soleil & le feu ouvrent les anches, & les
faisant jetter leur ostent la voix, & le vent les force.
C'est pourquoy on ne doit point laisser joüer d'vne
Musette juste vne personne qui ne fait que commencer, & qui ne sçait pas encor donner le vent à propos.
Et le secret de conserver dix ans vne Musette, sans qu'il
soit besoin d'y refaire la moindre chose, c'est de s'en
servir tout seul, & de ne point permettre que d'autres
en joüent. Pour les bons & sçavans joüeurs bien loin
de gaster vne Musette quand ils la manient, ils la rendent meilleure par le vent qu'ils sçavent donner en
joüant également & à propos; car par cet exercice ils
perfectionnent les anches, qui se corrompent autant
lors qu'elles cessent d'agir, que lors qu'on les presse à
contre-temps.

CHAPITRE XIII.

Avis à ceux qui veulent apprendre à ioüer de la Musette.

A premiere chofe que doivent faire ceux qui veulent apprendre à joüer de la Mufette, c'eft de concevoir & de fuivre exactement les regles que j'ay prefcrites dans ce Traité, avec affez de netteté pour les rendre vtiles à toutes fortes de perfonnes.

Sur tout il eft abfolument neceffaire dans les commencemens d'étudier doucement, fans fe preffer, ny s'impatienter, parceque l'étude fans precipitation forme vne habitude nette, forte, facile & naturelle, qui eft ce que l'on appelle le beau jeu.

Il ne faut point s'amufer à vouloir d'abord entendre l'air des pieces que l'on apprend, c'eft affez d'accoûtumer fes doigts à fe lever & baiffer doucement les vns aprez les autres, comme la tablature les marquera; & aprez quand on aura acquis quelque hardieffe, on s'attachera à la mefure.

On doit éviter avec foin les grimaces & les poftures contrefaites; Et pour cet effet il faut lire ce que nous en avons dit dans le quatriéme Chapitre de cette premiere partie.

On doit prendre garde de ne fe point faire de regle de fa propre tefte. Ce defaut eft l'vn des plus grands obftacles qui retardent le fuccez du jeu où l'on fe veut perfectionner.

Pour

Pour y arriver prôtement il faut étudier le soir avant que se coucher, & le ma in repeter en se levant la même leçon. Cette pratique est d'vne tres-grande vtilité.

Il faut apprendre peu de choses à la fois; car si d'abord on charge sa memoire on l'étourdit, & cette confusion fait qu'on recule pluftot que d'avancer. En apprenant peu on possedera parfaitement ce que l'on aura appris; & quand l'habitude aura pris sa racine, on ne pourra plus l'oublier.

On ne doit jamais dans les commencemens se servir d'vne petite Musette, comme de celle de l'vn & du deux, mais pluftot d'vne mediocre, comme celle du trois & du quatre, qui sont les plus ordinaires, parce que les doigts formez sur vn petit chalumeau ne peuvent sans de grandes peines se reduire sur de plus grands; & au contraire se formant sur vn grand chalumeau, il est facile de joüer si l'on veut d'vn plus petit. On peut joindre à ce precepte tout ce que j'ay déja remarqué dans le troisième Chapitre.

CHAPITRE XIV.

Des excellens faiſeurs & ioüeurs de Muſette.

L ſeroit inutile de rapporter icy les noms qui nous reſtent dans les anciens autheurs des habiles joüeurs de Flûte & de Muſette,& des Ouvriers qui ont excellé dans la conſtruction de ces ſortes d'inſtrumens. Nôtre ſiecle en a produit des vns & des autres,qui nous font aiſément oublier ces premiers. Le Pere Mercenne parle du Sieur des Touches , & de Henry le jëune , qui avoit compoſé quelques airs ſur la Muſette,leſquels apparemment n'eſtoient que des voix de Villes , des branles & des Gavottes de village. Mais dépuis que cet aimable Inſtrument a eſté mis dans la perfection où il eſt , & que l'on s'en eſt ſervi dans les balets du Roy , les compoſiteurs en ont reglé les airs ſelon les ſujets qu'ils ont traitez.

Ceux qui ſe ſont rendus les plus recommandables dans ce Royaume par leur compoſition & leur jeu , & par leur adreſſe à faire des Muſettes, ſont les Srs Hotteterre. Le pere eſt vn homme vnique pour la conſtruction de toutes ſortes d'inſtrumens de bois , d'yvoire, & d'ébeine, comme ſont les Muſettes, flûtes , flageolets , haubois , cromornes ; & meſme pour faire des accords parfaits de tous ces mêmes Inſtrumens. Ses fils ne luy cedent en rien pour la pratique de cet art, à laquelle ils ont joint vne entiere connoiſſance , & vne execution encore plus admirable du jeu de la Muſette en particulier. Les Sieurs Deſcouteaux , Philidor

&

& Doucet y excellent auſſi parfaitement, & reçoivent tous les jours les applaudiſſemens de toute la Cour.

Il ſe rencontre auſſi dans les Provinces de bons fai-ſeurs de Muſettes, & des maîtres qui enſeignent tres-bien à en joüer. Le ſieur Liſſieux, qui dépuis quelques années s'eſt étably à Lyon, en conſtruit avec beaucoup de propreté & de juſteſſe , auſſi bien que toute ſorte d'autres inſtrumens à vent. Ie n'en connois point qui approche davantage de l'adreſſe des ſieurs Hotteterre. Les ſieurs François & Lambert font tous les jours dans la même Ville de bons Eſcoliers.

Il y avoit autrefois à Mâcon vn nommé Ponthus, qui a eſté vn des plus rares Ouvriers de ſon temps , & qui avoit vn talent tout particulier , & que je n'ay point remarqué en aucun autre pour ancher proprement & delicatement vne Muſette, & faire des ſouflets.

Perrin de Bourg en Breſſe travaille bien en Muſette, & enſeigne fidellement. Le ſieur Du Buiſſon à Thurin ne s'éloigne pas de la force des meilleurs joüeurs. Il y en a dans le Royaume vn grand nombre d'autres, dont je ne dis mot pour ne point les connoître ; mais quels qu'ils ſoient, je les invite auſſi bien que ceux dont j'ay parlé , de ſuivre la route que je leur ay tracée , & de s'efforcer de leur côté à immortaliſer cet Inſtrument, qui les fait admirer de tous ceux qui les entendent.

Fin de la premiere partie.

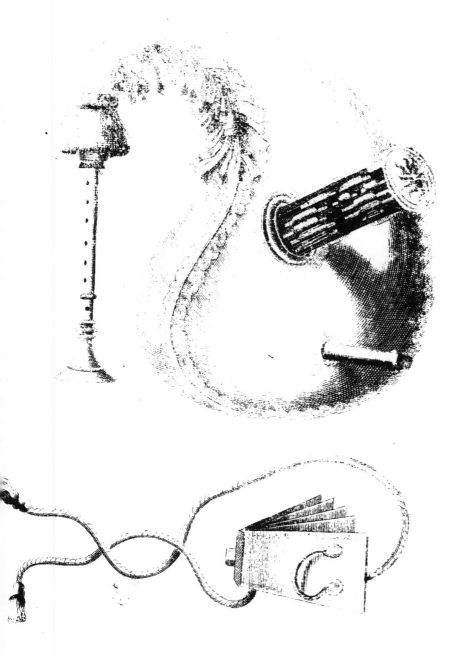

2

TRAITÉ
DE LA MVSETTE.

SECONDE PARTIE.

AVERTISSEMENT.

'AY déja declaré dans l'auertissement de
la premiere partie de ce Traité, que je
ne l'avois fait qu'en faveur de ceux qui
veulent apprendre à joüer nettement &
agreablement de la Musette ; Et par
cette raison je n'ay mis dans cette seconde que des pieces
sur le jeu du 5. appellé par quelques-vns l'Entremain;
& sur le jeu du 8. appellé le plein jeu, qui sont les plus
pratiquez, & qui l'vn aprez l'autre exercent toutes les
anches du bourdon. Je n'ay point jugé à propos d'y mettre des pieces sur les jeux du 4. du 6. du 7. & du
9 parce qu'outre qu'ils sont fort peu en vsage, c'est
qu'ils ne sont point si naturels à la Musette que les autres.

On

AVERTISSEMENT.

On *sçaura auſſi que les paroles des airs à chanter n'ayant pû entrer dans les planches, je les ay renvoyées à la fin de cette ſeconde partie pour l'vſage de ceux qui voudront joindre leurs voix aux accords de la Muſette.*

Je n'ay rien dit de l'accord des layettes du bourdon, parceque l'oreille ſeule les doit regler, & qu'il eſt impoſſible de l'apprendre autrement que par la pratique, qui eſt beaucoup plus facile que ne ſeroit l'intelligence, & l'application des regles que l'on preſcriroit pour cela.

LIVRE
DE
TABLATVRE.

Les Tons du Chalumeau Simple   prelude

Branle de Bresse auec le double.

Simple.   Double.

Simple.   .8.

Double.

.8.

Branle de Lugny

Branle de bresse

Seconde Partie,

9

Branle de Lugny

utre branle

Branle de bresse

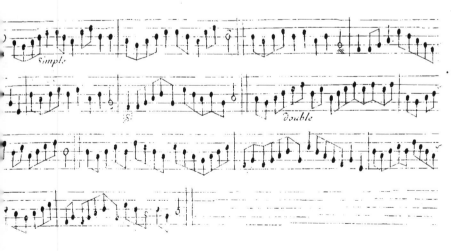

Simple

Double

Seconde Partie.

Branle de Normandie

autre branle

Branle

Simple

double

Branle de St Igny.

Simple

double

Simple

double

Bergerōnette

Branle

Seconde Partie.

13

Branle de St Igny.

Simple

double

Bergeronnette .

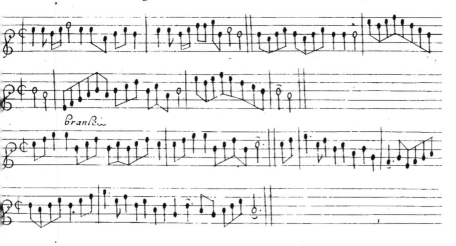

branle

Airs a Chanter

j'aymerois mieux. mon berger

les moutons paissent l'herbe.

Air a Chanter.

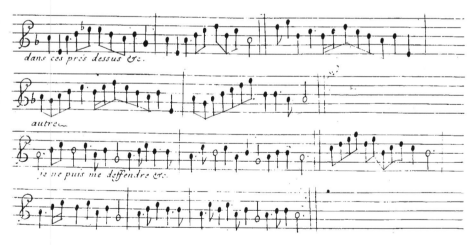

dans ces prés dessus &c.

autre

je ne puis me deffendre &c.

Branles de Village sur le ton du 8.

Branle sur le ton du 8.

Branles de Village sur le ton du 8.

autre

Branle sur le ton du 8.

autre branle

AIRS A CHANTER
sur la Musette.

DAns ces prez, dessus la tendre herbette,
   Un Berger que ie ne puis nommer,
     Le cœur charmé,
  Chantoit sur sa Musette,
  Qu'il est doux d'aimer,
  Mon aimable Nanette,
  Qu'il est doux d'aimer,
  Quand on est aimé.

AUTRE.

IE ne puis me defendre,
   I'ay le cœur tendre,
Ie ne puis me defendre
  De vous aimer;
Voudriez-vous bien m'apprendre
  A vous charmer.
Ie ne puis me defendre,
   I'ay le cœur tendre,
Ie ne puis me defendre
  De vous aimer.

AUTRE.

I'Aimerois mieux mon Berger,
   Qu'un Gentil-homme,
Ne manger que du pain bis
  Avec des pommes,
Avec des pommes, avec des pommes.

On trouve plus d'inconstans
  En amourettes,
Que l'on ne voit au printemps
  De violettes,
De violettes, de violettes.

Ie n'ayme des instrumens
Que la Musette,
Et pour les fleurs du printemps
La violette,
La violette , la violette.

AUTRE.

LEs moutons paissent l'herbe,
Les abeilles les fleurs,
Et ma belle superbe
Se nourrit de mes pleurs.

Quittez la fleur d'orange,
Agreables zephirs,
Et portez à mon Ange
Quelqu'vn de mes soûpirs.

Rochers inaccessibles,
Que vous estes heureux,
De n'estre pas sensibles
Aux tourmens amoureux.

L'amour me sollicite
D'abandonner le jour,
Vostre rigueur m'invite
D'obeir à l'amour.

PAr grace & privilege du Roy donné à S. Germain en Laye le 15. Fevrier 1672. signé, par le Roy en son Conseil, DE FALENTIN. & deuëment scellé, il est permis à IEAN GIRIN Marchand Libraire demeurant à Lyon, de faire imprimer pendant dix années le Livre intitulé, *Traité de la Musette*, &c. à commencer du jour qu'il sera achevé d'imprimer: Avec defenses à tous Marchands Libraires, Imprimeurs & tous autres de quelle condition qu'ils soient de les contrefaire, vendre & distribuer si ce n'est de l'impression dudit Girin, à peine de confiscation des Exemplaires, & de quinze cens livres d'amande, comme il est plus expressément porté par ledit Privilege.

Les Exemplaires ont esté fournis.

Achevé d'imprimer pour la premiere fois le premier Iuin 1672.

Imprimé en France
FROC031745081020
25370FR00007B/74

9 782329 372815